STICHTING NEDERLANDSE
KINDERJURY
2003

Martine Letterie
Een poes voor oma en opa
omslagontwerp: eZeM/Miek de Jong
© 2002 Uitgeverij Clavis, Amsterdam - Hasselt en Educatieve uitgeverij Delubas, Drunen
Omslag en illustraties: Ilse Heylen
Trefw.: eerste lezers, grootouders, rouwen, vriendschap
NUR 287
ISBN 90 6822 973 7 - D/2002/4124/066

Martine Letterie

Een poes voor oma en opa

met illustraties
van Ilse Heylen

Clavis/Delubas

De begrafenis

Marthe is op weg naar haar opa en oma.
Ze is alleen op de fiets.
Dat kan best, want opa en oma wonen vlakbij.
Marthe is tien jaar oud.
En ze heeft blond haar.
Ze is dol op chocola en op grapjes maken.
Met haar familie woont ze in een klein dorpje.
Haar opa en oma wonen daar ook.
Zij wonen in een boerderij.
Dus niet in een gewoon huis zoals Marthe.
Marthe ziet de boerderij in de verte liggen.
Aan de voorkant staan grote bomen.

De blaadjes ervan waaien in de wind.

Marthe ziet opa al.

Hij loopt met een doos naar buiten.

Oma gaat er met een schop achteraan.

'Joehoe, oma!' roept Marthe hard.

Wat gek, oma zwaait niet terug zoals anders.

Haar mond probeert een kleine glimlach te maken.

Nu Marthe dichterbij komt, ziet ze een traan.

Die biggelt over oma's wang.

'Wat is er, oma?' vraagt Marthe verschrikt.
'Marthe, de poes is dood,' zegt oma.
En weer rolt er een traan over haar wang.
'We gaan hem net begraven.
Hij zit in de doos die opa daar draagt.'
Oma ziet Marthes verschrikte gezicht.
'De poes is onder een auto gekomen.
Hij was meteen dood.
Weet jij een goede plek om hem te begraven?'
Marthe heeft wel een idee.

'Daar onder die boom.

Daar zat hij altijd naar de vogels te gluren.'

En zo doen ze het.

Oma graaft een kuil met de schop.

Opa zet de doos erin.

En Marthe legt er een paar bloemetjes op.

Dan gooit oma er aarde over.

Even staan ze stil bij het graf van de poes.

'Kom, we gaan naar binnen,' zegt oma dan.

'Blijf je een kopje thee drinken?'

Dat doet Marthe.

Een poesje als cadeau

Met zijn drieën zitten ze aan tafel.
Het is gezellig, maar niet zoals anders.
Ze zeggen niet veel.
Hard tikt de klok in de stilte.
Na de thee gaat Marthe naar huis.
Daar is papa aan het koken.
Hij roert druk in de pan met saus.
'Hoe was het bij opa en oma?'
De afzuigkap staat aan,
dus papa praat heel hard.
'Zijn ze al nerveus voor hun grote feest?'
Marthe kijkt papa niet-begrijpend aan.
Ze is met haar hoofd nog bij de dode poes.
'Ben je vergeten dat ze een feest geven?' vraagt papa.
'Opa en oma zijn toch bijna veertig jaar getrouwd?
Volgende week gaan ze op vakantie.
Met de caravan naar Frankrijk.
En als ze terugkomen, geven ze een feest.
Weet je het nog?'
Marthe knikt.

Nu weet ze het weer.

'Daar hebben we niet over gepraat, papa.'

En Marthe vertelt papa over de poes en de begrafenis.

'Hè, wat verdrietig,' zegt papa.

Hij geeft Marthe een kus op haar hoofd.

'Opa en oma waren zo dol op de poes.'

'Ja,' zegt Marthe.

'Het was erg stil op de boerderij zonder hem.'

Dan komt mama binnen.

Achter haar loopt Sjoerdje, Marthes grote zus.

'Het ruikt hier lekker, pap!

Mag ik kaas op mijn spaghetti?'

Na het eten praten ze weer over opa en oma,
over hun veertigjarig huwelijk en het feest.
'Wat voor een cadeau zullen we geven?' vraagt Sjoerdje.
'Ze hebben alles al,' zucht mama.
'En opa zegt altijd dat hij niets wil,' weet pap.
Even klinkt het getik van bestek op de borden.
'Ik weet het,' zegt Marthe dan.
'We geven opa en oma een jong poesje.

In de vakantie kunnen ze hun verdriet een beetje vergeten.
Maar als ze thuiskomen, is het weer zo stil op de boerderij.
Dan moet oma lezen zonder poes op schoot.
En er loopt niemand om opa's benen, als hij kookt.
Een jong poesje, dat vinden ze vast gezellig.'
Papa, mama en Sjoerdje zeggen niets.
Ze kijken met open mond naar Marthe.
'Het is een briljant idee,' zegt papa na een tijdje.
'Hoe kom je aan een jonge poes?
We hebben twee weken de tijd.'
Daar weet Sjoerdje iets op.
'Bij de supermarkt hangen wel eens briefjes.
En bij de dierenarts ook.
En we kunnen ook gaan kijken in het asiel.'

Na het eten maken Marthe en Sjoerdje briefjes.
Wie heeft er een jong poesje voor ons?
Dat schrijven ze erop.
'Morgen na school ga ik ze ophangen,' belooft Sjoerdje.
'En dan kijk ik meteen of er briefjes hangen,
waar poezen op worden aangeboden.'

'Heel goed,' zegt mama.
'Maar nu is het bedtijd.'
Die avond ligt Marthe lang wakker.
Ze moet de hele tijd aan het poesje denken.

De volgende dag komen opa en oma gedag zeggen.
Ze rijden voor met de caravan.
's Ochtends heel vroeg zijn ze er, nog voor schooltijd.
'Alles is al gepakt,' zegt oma.
'We hebben zo'n zin om te gaan!' roept opa.
'En als we terugkomen, is het feest.'
'Reken maar,' zegt mama.
'Het wordt een feest om nooit te vergeten!'
En ze knipoogt naar Marthe.
Opa en oma geven iedereen een dikke kus.
En dan stappen ze in de auto.
Marthe, Sjoerdje, papa en mama zwaaien ze na.
Aan het eind van de straat rijden ze de hoek om.
'En nu naar school,' zegt mama.
Marthe en Sjoerdje halen hun fiets uit de schuur.
Ze pakken hun tassen met hun bekers.

Op zoek naar een poes

'Heb jij de briefjes, Sjoerdje?'
Sjoerdje laat ze zien.
'Ik doe ze in mijn tas.'
Samen fietsen ze naar school.
'Wacht je op mij na schooltijd?' vraagt Marthe.
'Dan kunnen we samen de briefjes doen.'

Wat duurt de dag vandaag lang!

Marthe kijkt wel tien keer op de klok.

De wijzers kruipen heel langzaam verder.

Het lijkt wel of er stroop aan zit.

Eindelijk is het kwart over drie.

Marthe rukt haar jas van de kapstok.

Ze rent naar buiten naar het fietsenhok.

Daar komt Sjoerdje ook aan.

Met zijn tweeën fietsen ze naar de supermarkt.

Heel zorgvuldig bekijken ze alle briefjes daar.

Maar er hangt nergens iets over een poes.

'Nou, dan hangen we gewoon ons briefje op.'

Sjoerdje haalt een briefje uit haar zak.

Ze hangt het midden op het prikbord.

'Zo valt het goed op,' zegt Marthe tevreden.

'Kom, dan gaan we nu bij de dierenarts kijken.'

De praktijk van de dierenarts is twee straten verderop.

Marthe duwt de zware deur open.

Door het gangetje komen ze in de wachtkamer.

Daar zitten veel mensen met poezen en honden.

Er zit een klein meisje met een hamster op schoot.

Marthe kijkt rond.

'Kijk, hier is ook een prikbord!'

Met zijn tweeën speuren ze het bord af.

'Aaah, weer niks,' roepen ze tegelijk.

'Dan hangen we weer een briefje op,' beslist Marthe.

Een mevrouw bekijkt hun briefje.
'Dat zal moeilijk worden, meiden.
Dit is niet de tijd voor nesten.
De meeste poezen krijgen jongen in het voorjaar.'
Sjoerdje zucht.
'Maar het is voor het feest van opa en oma.'
'Nou, succes dan,' zegt de mevrouw.
Marthe en Sjoerdje fietsen langzaam naar huis.
Ze hebben wind tegen en ze moeten hard trappen.

Daardoor zeggen ze niets tegen elkaar.
Maar Marthe ziet aan Sjoerdjes gezicht
dat ze zich net zoveel zorgen maakt als zij.
Zou het wel lukken met de jonge poes?

Thuis zit papa al vol spanning op hen te wachten.
'En, hebben jullie al wat?'
'Nee,' zegt Marthe.
'Maar we hebben wel briefjes opgehangen.'
Sjoerdje gooit haar schooltas in een hoek.
'Er was een mevrouw bij de dierenarts,
en die zei dat het geen tijd voor nesten was.'
'Oh,' zegt papa.
'Kijken jullie daarom zo boos?
Weet je wat, ik bel meteen even naar het asiel.
Misschien zitten daar nog wel jonge poezen.'

Papa loopt naar de telefoon in de gang.
Marthe en Sjoerdje horen hem praten,
maar ze verstaan hem niet.
Als hij klaar is, komt hij de keuken weer in.
'Volgende week wordt er een nest vrijgegeven.'

'Wat betekent dat?' vraagt Marthe.
'Dan mogen ze pas bij hun moeder weg.
Het is een nest van vier katertjes.'
'Dan moeten we tot volgende week wachten!' roept Sjoerdje.
'Opa en oma zijn dan al bijna weer terug.
Stel je voor dat het niet lukt!'
'Natuurlijk lukt het wel,' zegt papa.
'Die mevrouw van het asiel zou tegen niemand zeggen
dat er jonge poesjes waren.'
Marthe is niet zo somber.
'We hebben ook de briefjes nog opgehangen.
Misschien belt er in de tussentijd iemand door zo'n briefje.'
Papa knikt.
'Wachten is het enige, wat we nu kunnen doen.'

De week kruipt voorbij.
Elke keer als de telefoon gaat,
springen Sjoerdje en Marthe op.
Maar niet één keer belt er iemand over hun briefjes.

Naar het asiel

Papa blijft opgewekt.
'We hebben al een poes,
hij woont in het asiel.
Dus wat lopen jullie toch te tobben?'

Eindelijk is het zover.
Na schooltijd staat papa voor school met de auto.
De motor staat al te ronken.
'Spring erin, meiden!

We gaan naar het asiel!'
Op de achterbank staat een doos klaar.
Er ligt een oude handdoek in.
Marthe begrijpt het meteen: die doos is voor de poes.

Voor het asiel moeten ze naar de stad.
Het is aan de rand van de stad in een oude boerderij.
Een oudere vrouw met kaplaarzen komt hen tegemoet.
'Zo jongens, komen jullie een dier ophalen?'
'Ja,' zegt Marthe opgewonden.
'We komen voor het nest katertjes.
Mijn vader heeft vorige week al gebeld.'
'Oh nee,' zegt de mevrouw.

'Die zijn allemaal al weg!
Om twee uur stonden de eerste mensen al te wachten.'
'Maar u zou het tegen niemand zeggen,' zegt pap.
De vrouw haalt haar schouders op.
'Misschien heeft mijn man het wel verder verteld.'
Ze draait zich om en wil weglopen.
'Heeft u dan geen andere poezen?' vraagt Marthe snel.
'Loop maar even mee,' zegt de mevrouw.
Met zijn drieën lopen ze achter haar aan.
In de afdeling van de poezen zijn allemaal hokken.
Daarin zitten allemaal poezen,
in rijen boven elkaar.
Er zijn dikke rooie poezen en zwarte katten.
Sommige zijn helemaal zwart, andere hebben witte vlekken.
Al die poezen zijn groot en dik.
Ze lijken ook erg oud.
Niet één lijkt op het jonge poesje,
dat Marthe in gedachten had.

Dan zegt papa ineens: 'Oh, kijk deze!'
En in het achterste hok van de middelste rij zit hij.

Het is een jong katertje van een half jaar oud.

Wit is hij, met rode vlekken.

Marthe en Sjoerdje rennen naar zijn hok.

En het katertje begint meteen hard te spinnen.

Hij geeft kopjes aan het gaas van zijn hok.

'Hij vindt ons ook lief!' roept Marthe.

'Dat is zo'n gezellige kat,' zegt de mevrouw van het asiel.

'Hij wil het liefst de hele tijd op schoot.'

Papa knikt tevreden.

'Misschien is deze beter dan een hele jonge.

Zo'n hele jonge klimt steeds maar in de gordijnen.'

'Hij is voor onze opa en oma,' legt Marthe uit.

De mevrouw van het asiel is het met papa eens.

'Dan is deze veel beter.'

'Zullen we deze dan maar meenemen?' stelt papa voor.

'Jaaa,' roepen Sjoerdje en Marthe.

De mevrouw van het asiel pakt de kat.
Voorzichtig zet ze hem in de doos.
Papa betaalt de mevrouw.
'Veel plezier ermee!' zegt ze.
Met zijn allen stappen ze weer in de auto.
Alleen zijn ze nu met één meer.

Het is feest

Marthe en Sjoerdje zitten samen achterin.
Ze hebben de doos op schoot.
Voorzichtig aaien ze om de beurt de poes.
'Weten jullie al een naam voor hem?' vraagt papa.
Hij rijdt heel voorzichtig.
Dan wordt de poes niet bang.
'Marthe mag een naam verzinnen.
Een poes geven was haar idee.'
Marthe lacht.

'Ik weet al een naam.
We noemen hem Bommel.
Zo heet de beer uit de strip in de krant.
En daar moeten opa en oma altijd om lachen.'
Papa en Sjoerdje zijn het met die naam eens.
'Mauw!' klinkt het uit de doos.
'Bommel vindt zijn naam ook leuk!' zegt Marthe.
Als ze thuiskomen, staat mama al te wachten.
In de kamer doet Marthe de doos open.
Met een sprong komt Bommel uit de doos.
Hard spinnend springt hij bij mama op schoot.

'Jullie hebben een echte kampioen uitgekozen,' zegt mam.
En als de anderen haar niet begrijpen,
legt ze het verder uit.
'Ik bedoel een kampioen gezellig zijn.
Hebben jullie al bedacht hoe we de poes gaan geven?
We hebben nog een paar dagen.
En dan is het feest van opa en oma.
Willen jullie het op het feest doen?
Of misschien bij hen thuis?'
Marthe en Sjoerdje kijken elkaar aan.

Daar hebben ze nog helemaal niet aan gedacht.
'Op het feest zelf is misschien niet handig,' zegt papa.
'We gaan immers met zijn allen naar een restaurant.
Stel je voor dat die arme poes
daar de hele avond moet blijven.'
Marthe kijkt naar Bommel.
Die heeft inmiddels een knikker gevonden.
Hij rent erachteraan door de kamer.
Marthe schudt haar hoofd.
'Nee, dat wordt niks.
Ik heb een beter idee.'

Opa en oma zijn weer thuis.

De avond voor het feest zijn ze aangekomen.

Nu is het heel vroeg 's ochtends.

Papa, mama en Marthe en Sjoerdje zitten in de auto.

In een doos op Marthes schoot zit Bommel.

Sjoerdje en Marthe hebben die doos mooi versierd.

Het lijkt nu een echte schatkist.

Mama heeft allemaal spullen voor een ontbijt op bed.

Zachtjes sluipen ze met zijn vieren de boerderij in.

Papa zet thee en dan gaan ze naar boven.

'Lang zullen ze leven,' zingen ze hard.

Slaperig gaan opa en oma rechtop zitten.

'Wat een verrassing, jongens!' zegt oma.

En ze kijkt naar mama met het dienblad met ontbijt.

'Kijk oma,' zegt Marthe en ze zet de doos op bed.

'We hebben eerst een cadeau.'

'Een schatkist!' zegt opa.

En samen maken opa en oma de doos open.

Met één sprong zit Bommel luid spinnend op bed.
'Wat een schat!' roepen opa en oma tegelijk.
'Je had gelijk,' zegt opa tegen mama.
'Dit wordt een feest om nooit te vergeten!'